D0784276

Nous remercions le ministère du Patrimoine canadien,
la SODEC et le Conseil des Arts du Canada
de l'aide accordée à notre programme de publication

Patrimoine canadien | Canadian Heritage

SODEC Québec

Le Conseil des Arts du Canada depuis 1957 | The Canada Council for the Arts since 1957

ainsi que le Gouvernement du Québec
– Programme de crédit d'impôt
pour l'édition de livres
– Gestion SODEC.

Illustration de la couverture
et illustrations intérieures :
Fanny

Couverture :
Conception Grafikar

Édition électronique :
Infographie DN

Dépôt légal : 1er trimestre 2003
Bibliothèque nationale du Canada
Bibliothèque nationale du Québec

123456789 IML 09876543

ISBN 2-89051-845-0
11076

Printed in Canada

JÉRÉMIE ET LE VENT DU LARGE

• Série Jérémie •

DE LA MÊME AUTEURE
AUX ÉDITIONS PIERRE TISSEYRE

Collection Conquêtes

« Nordik Express », nouvelle dans le collectif de l'AEQJ *Entre voisins,* 1997.

Le cri du grand corbeau, roman, 1997.

« Les foufounes blanches », nouvelle dans le collectif de l'AEQJ *Petites malices et grosses bêtises,* 2001.

Collection Papillon

« L'aiyagouk ensorcelé », conte dans le collectif de l'AEQJ *Les contes du calendrier,* 1999.

Collection Sésame

Kaskabulles de Noël, roman, 1998.

Une araignée au plafond, roman, 2000.

Données de catalogage avant publication (Canada)

Sauriol, Louise-Michelle

Jérémie et le vent du large

(Collection Sésame ; 49)
Pour enfants de 6 à 8 ans.

ISBN 2-89051-845-0

I. Titre II. Collection : Collection Sésame ; 49.

PS8587.A386J47 2003 jC843'.54 C2002-941957-3
PS9587.A386J47 2003
PZ23.S38Jé 2003

LOUISE-MICHELLE SAURIOL

roman

ÉDITIONS
PIERRE TISSEYRE

5757, rue Cypihot, Saint-Laurent (Québec) H4S 1R3
Téléphone: (514) 334-2690 – Télécopieur: (514) 334-8395
Courriel: ed.tisseyre@erpi.com

1

LE CHEVALIER À MOUSTACHES

Jeudi, c'est congé pour tous. Enfin, pour nous, les élèves de l'école.

Journée pédago, plaisir à gogo! Pour démarrer la journée sur le bon pied, je téléphone à mon amie Sandrine.

Le printemps s'éclate à plein parterres de tulipes. Si nous allions pêcher au bord de la rivière?

— Allô, Sandrine? C'est Jérémie. Tu viens à la pêche? J'ai envie de taquiner les petits poissons. Rendez-vous au bout du quai.

— ...

— Non? Tu en veux à un poisson? Comprends pas. Ah! un devoir de maths. Attends, j'arrive.

Mon amie est coincée dans un labyrinthe: un devoir farci de questions tortueuses. Ni solution ni sortie en vue. Désolant. Mais il n'est pas interdit de lui rendre visite. En maths, je ne crains rien. Je suis le champion de la classe. Vite, je vole à la rescousse de Sandrine.

J'extrais de mon sac d'école un crayon, une règle, une tablette quadrillée, une gomme à effacer. Je dispose le tout dans mon coffre à pêche. On ne sait jamais.

Mon chien Croquemitaine me regarde farfouiller dans mes fournitures scolaires, incrédule. Il avait compris qu'on partait à l'aventure et il frétillait de la queue. Dépité, il se recouche en fermant un œil.

— Réveille-toi, Croquemitaine, peut-être qu'on ira à la pêche. Les maths, c'est facile. Il suffit d'attaquer directement les problèmes.

Je me vois déjà partir au combat sur le dos de mon chien. Casque sur la tête et règle au poing, je vole au secours de Sandrine comme un chevalier sur sa monture. L'ennemi se nomme multiplication, soustraction, division, que sais-je? Aux armes, chevalier!

Mon gros chien a fermé l'autre œil. Devant mes ardeurs scolaires, il reste inerte et sans vie.

— Croquemitaine, grouille!

— Tu n'as rien compris, déclare mon petit frère Guillaume qui apparaît, un biscuit à la mélasse entre les doigts. Il aime mieux jouer avec moi.

Le traître! Croquemitaine ressuscite à l'instant. Il se dresse sur ses pattes, attrape un morceau de biscuit et trotte vers la cuisine, derrière Guillaume.

Tant pis, j'irai seul chez Sandrine. J'enfile mon blouson et marche d'un pas décidé vers la porte de côté.

— Où vas-tu, Jérémie? demande la voix de mamie, notre fidèle gardienne.

— Chez Sandrine. Je vais l'aider à faire ses devoirs.

— Tu reviens pour dîner?

— Ah oui, mamie. Je t'apporterai même du poisson.

— Attention à l'eau, mon trésor.

— Promis.

Je referme soigneusement la porte et m'apprête à prendre mon élan. Soudain, j'aperçois une boule de poils noirs et blancs sous une marche. Ma chatte à picots! J'attrape Picolette d'une main et l'installe sur mes épaules.

Transformée en chevalier à moustaches, la chatte s'agrippe à mon chandail. Picolette hume le vent tandis que moi, sa monture, je galope à toutes jambes.

À la conquête des maths!

CERISES EN LIBERTÉ

— Salut, Jéri. Pourquoi as-tu amené Picolette?

— Euh... Elle aussi est une championne des maths!

— Attends. Je fais disparaître mon gros matou.

Sandrine a tôt fait de repérer son chat Raoul. Elle l'expédie dans la cave et nous invite à entrer dans la maison. Je lui demande sans plus tarder :

— Montre-nous ton devoir.

— C'est long et plein de pièges. Venez !

Mon amie nous conduit vivement à la cuisine. Son cahier de maths trône sur la table, au milieu d'une douzaine de feuilles de papier couvertes de chiffres et de signes mathématiques. Ça sent la catastrophe. Installons-nous.

Pendant que j'ouvre mon coffre à pêche et que j'en retire mes instruments de travail, Picolette grimpe sur une étagère. Ouille ! Je l'attrape comme elle saluait un poisson dans son aquarium.

— Non, Picolette ! Pas de pêche dans le bocal.

— Surtout pas ce poisson-là ! s'exclame Sandrine. C'est Archimède.

— Archi…?

— Archimède, le poisson doré de mon grand-père. Il porte le nom d'un savant très célèbre. Un jour, pressé d'annoncer une découverte en maths, ce monsieur s'est rué dehors, nu comme une anguille.

— Tout nu ?

— Oui. Il courait en criant « Eurêka ! » dans les rues de la ville. Ça veut dire « J'ai trouvé ! »

— C'est drôle.

— Pas du tout. Notre Archimède, lui, n'est bon à rien en maths.

— Normal pour un poisson.

— Avant, mon grand-père disait qu'Archimède lui parlait à l'oreille.

— Pour de vrai ?

— Juré. Papi m'appelait sa « petite sirène » et me racontait les secrets d'Archimède. Je comprenais tout.

Mon amie porte un nouveau tricot vert. Avec ses cheveux noirs qui ondoient, elle pourrait passer pour une sirène ! Je n'ose le lui dire. Que penserait-elle de moi ? Je lui parle plutôt de son grand-père.

— Pourquoi ton papi n'écoute-t-il plus Archimède ?

— Il n'écoute personne. Mon grand-père a eu un accident et, depuis, il n'est plus capable de marcher. Ça le rend malheureux. Il reste tout seul dans sa chambre.

C'est vrai qu'on ne l'a pas vu depuis des jours. Chez nous, on l'appelle le capitaine, son grand-père. Il se promène la tête haute, coiffé d'une casquette marine et blanc.

— Pourquoi tu ne m'as rien dit au sujet de l'accident, Sandrine?

— J'avais trop de chagrin. Et puis, je vais te confier un secret: il a levé sa canne sur moi quand j'ai insisté pour qu'il me parle.

— Il t'a fait mal?

— Un peu.

Mon amie penche la tête comme si elle avait honte. Ce n'est pourtant pas sa faute. Pourquoi son grand-père s'est-il fâché contre elle ? J'essaie de la consoler :

— Tu sais, mon grand-papa est mort depuis deux ans. Je n'en ai même plus, de papi.

— Moi, je pense que c'est pire d'avoir perdu quelqu'un de vivant, déclare mon amie dans un sanglot.

Sandrine est tellement triste que je n'ai pas envie d'argumenter. D'un doigt, j'essuie les larmes qui coulent de ses yeux. Je tourne ensuite le dos au poisson et entraîne mon amie devant la table.

— Viens, on attaque les maths avec Picolette. Je possède plein d'armes. Nous aussi, on pourra crier « Eurêka ! »

— Pas tout nus ! s'empresse-t-elle d'affirmer.

Un pâle sourire se dessine sur ses lèvres. Elle va mieux ! Je m'installe devant le cahier et lit un problème. Une fillette veut partager soixante-dix cacahuètes avec six amis. Chacun doit recevoir une part égale. Combien de cacahuètes chaque ami recevra-t-il ?

— Tu comprends, m'explique Sandrine, le projet de notre classe s'appelle la « fête des Maths ». À la fin de la semaine, on va célébrer pour vrai, avec tous les objets ou friandises présents dans nos exercices. Moi, je déteste les *pinottes*. En plus, je n'ai pas envie de fêter.

Un idée aux couleurs de fruit mûr traverse mon esprit.

— Si on transformait les cacahuètes en cerises ? Ça nous aiderait à réfléchir. On peut les dessiner en rouge sur une feuille de papier.

Mon amie court aussitôt vers le frigo.

— Attends, maman a acheté un gros sac de cerises au marché. On pourrait travailler avec de vrais fruits.

— Génial!

Nous aimons tous les deux les cerises. Dès que Sandrine a déposé le sac gonflé de fruits sur la table, nous commençons à les compter. Je lui suggère un raccourci:

— Allons-y par dizaines!

Ragaillardie, mon amie ne se fait pas prier. Notre distribution aux six invités mystère avance à un bon rythme.

Picolette suit notre manège des yeux et des moustaches. Elle en oublie Archimède dans son aquarium. Elle se concentre sur les jolis fruits rouges que l'on dépose par paquets sur la table.

Oups! Bientôt, il faut nous rendre à l'évidence: il manque deux cerises pour remettre des parts égales aux invités. Rien à faire! Ça n'arrive pas juste avec soixante-dix cerises à diviser entre six personnes. Je serre les poings. Comment résoudre ce problème?

— C'est comme pour les cacahuètes, soupire Sandrine. Les invités vont se disputer et j'aurai zéro.

Qu'est-ce qui bousille les calculs? Le cahier se tromperait-il? Une erreur d'impression, peut-être.

Picolette ne se pose pas de questions. La chatte profite de notre embarras pour jouer de la patte avec les cerises. La moitié des fruits roule par terre. Ravie, elle s'élance sur le parquet à leur poursuite.

— Ça suffit, Picolette!

— Nos cerises de Californie! s'écrie Sandrine en rattrapant une

cerise bien rouge qu'elle plonge avec délice dans sa bouche.

J'en saisis une à mon tour. Miam! Mon amie en déguste une autre. En crachant le noyau dans sa main, Sandrine s'exclame, toute joyeuse:

— J'ai trouvé! La fille qui donne la fête veut aussi en manger. Ça fait sept personnes pour les soixante-dix cerises. Et non six. *Eurêka!*

Hum! En effet. Partager, ça ne veut pas dire tout donner. La fille a gardé une part pour elle. Et chaque personne a reçu une dizaine de cacahuètes, pour un total de soixante-dix. J'ai raté l'astuce. Les mots m'ont joué un tour. Plutôt moche, pour un champion.

Embarrassé, je déclare à mon amie:

— Je t'avais bien dit que Picolette avait la bosse des maths.

C'est elle qui a fait débouler les cerises et la solution!

— Oui, mais il reste la géométrie, signale Sandrine. La maîtresse a dit qu'il fallait associer les illustrations du cahier à des objets de fête. Des cubes, des cônes et tous les solides, à changer en surprises pour le *party*. Ça ne me dit rien du tout. Où est passée ta chatte savante?

Un coup d'œil circulaire et je l'aperçois devant la porte de la cave. Elle gratte de toutes ses forces pour tenter de dégager une cerise coincée dessous.

Sans réfléchir, j'ouvre la porte…

3

LA CACHETTE À MUSIQUE

MIAOU ! MRRR...

— Raoul ! crie Sandrine au matou qui bondit comme un lynx aux trousses de Picolette.

— *Que passa* * ? demande une personne dans une autre pièce.

* Que se passe-t-il ? (En espagnol.)

— C'est Anna, chuchote Sandrine. Elle soigne papi depuis son accident et s'occupe de la maison.

— Qu'y a-t-il, les enfants ? insiste Anna.

— Raoul court après la chatte de Jérémie.

— Mettez-le dehors ! reprend la dame.

Plus facile à dire qu'à faire. Désespérée, Picolette s'élance en vol plané dans la cave. Raoul franchit les marches en trois bonds, puis il s'arrête net. La galopade cesse. Le matou aurait-il dévoré Picolette ?

Quand nous arrivons au sous-sol, le chat gémit devant la cheminée.

Picolette s'est volatilisée. Aucune trace de son passage.

Frustré jusqu'au bout des griffes, le matou rage et s'énerve. Tout

d'un coup, il saute sur le manteau de la cheminée en poussant un miaulement strident.

— *Rrraoul!* crie Anna qui surgit dans la cave avec son balai.

La dame déloge le chat de son poste, le pousse droit dans l'escalier, et vlan! dehors.

Plus rien ne bouge. Où s'est cachée ma chatte à picots?

— Pico, Picolette! Tu peux sortir de ton nid secret. Raoul est parti. Viens-t'en donc. Vite!

Toujours rien.

— Elle doit être dans la cheminée, dit Sandrine.

— Ah non!

Picolette ne voudrait jamais grimper dans une cheminée toute sale. Elle déteste la poussière. Ça la rend malade. Où donc a-t-elle disparu?

— Pico, Picolette, reviens!

Soudain, un frôlement, une paire de moustaches, deux yeux verts, la revoilà! Le ventre aplati et les oreilles basses, ma chatte apparaît entre deux briques sous le manteau de la cheminée. J'ai du mal à la reconnaître. Pauvre petite! Elle frissonne comme une feuille en automne.

Comment a-t-elle réussi à se faufiler là? Elle aurait pu étouffer. Je la prends dans mes bras et la caresse sous le menton. Comme elle a dû souffrir!

Curieuse et voulant en savoir plus, Sandrine explore l'étroit passage de ses doigts. Quelque chose remue.

— Jéri, une des deux briques bouge. Oh! elle est complètement détachée! Regarde, il y a un espace secret en arrière. C'est là que Picolette s'est cachée. Rusée de chatte! Elle a réussi à déjouer Raoul.

Je m'avance vers la cachette et y introduit la main. Ma paume glisse sur une petite boîte.

— J'ai trouvé quelque chose.

— Quoi donc?

— Examine le paquet toi-même.

Sandrine s'empare de la boîte, l'ouvre et en extrait un objet dur couleur dorée.

— L'harmonica de mon grand-père! Pas possible. Il l'avait perdu depuis longtemps. PAPI! TON RUINE-BABINES!

Mon amie s'envole dans l'escalier pour rendre l'instrument de musique à son grand-père. Je remonte lentement avec Picolette serrée contre moi.

À nous deux, la géométrie! On ne va pas rater notre coup, cette fois-ci. Je m'assois et prépare le cahier pour Sandrine. Voici donc les fameuses illustrations de solides: un cône, une sphère, un cube, un cylindre et un prisme. Réfléchissons... Oh! quelle est cette musique? L'harmonica?

Un air entraînant retentit dans toute la maison. On dirait une musique de bateau. Ah oui! Je reconnais la chanson. On l'a chantée au camp, l'été dernier. *Partons, la mer est belle…*

Le papi de Sandrine connaît beaucoup de chansons. Il n'arrête plus de jouer. Dans son aquarium, le poisson doré s'excite. Archimède plonge et émerge sans arrêt. L'eau bouillonne dans le bocal. Je me lève, intrigué. Reconnaît-il la musique ou le musicien?

Picolette saute brusquement sur le comptoir, effrayée par l'activité insolite autour de nous. Réfugiée entre un pot de farine et un autre de riz, elle hérisse ses poils. Ma chatte n'apprécie ni la musique ni les ébats d'Archimède.

Dommage, car le grand-père de Sandrine joue rudement bien. Je brûle d'envie d'aller le retrouver, moi aussi. Mais qu'arrive-t-il ?

Des pas sur le plancher... Saperlipopette, la musique vient vers nous !

4

LE VENT DU LARGE

Musique, musique... Debout sur sa queue, Archimède se met à danser.

Ses écailles dorées prennent des reflets éclatants. Le bruit de pas se rapproche encore, la musique aussi. Au comble de l'excitation, Archimède plonge en éclaboussant le comptoir. Le voici enfin, le grand-père de Sandrine.

Assis dans un fauteuil roulant poussé par Anna, il joue avec ardeur. La casquette enfoncée sur la tête, le capitaine est courbé sur son harmonica. Une mer de gouttes d'eau ruisselle sur ses joues.

Sandrine marche à côté de son grand-père, un bras passé autour de son cou. Sa figure resplendit.

Le fauteuil roulant s'arrête, mais la musique continue. Est-ce que je rêve?

La sirène et le capitaine ont l'air de voguer dans des pays lointains et proches en même temps. Quel est ce sortilège?

Musique, musique... Je contemple Sandrine et son grand-père. Ensemble, ils prennent le large. Un bateau mystérieux les emporte. De plus en plus loin. Je me frotte les yeux: la sirène au tricot vert est toujours devant moi et elle rit aux éclats!

— Tu en fais une tête, Jéri! Regarde, papi est redevenu vivant!

— C'est magique!

— Oui, dit le capitaine en sortant de sa poche un mouchoir, blanc comme une grande voile. La musique fait des merveilles. Elle donne des ailes et nous transporte dans d'autres mondes. Après, on a moins mal.

Le grand-père de Sandrine se mouche bruyamment. Puis il lève sur moi des yeux gris comme ceux de mon amie.

— C'est toi, Jérémie, qui a trouvé mon harmonica ?

— Non, c'est ma chatte Picolette.

— C'est vous tous, alors !

— Surtout elle. À cause des maths.

— Les maths ? demande le grand-père, perplexe.

Il jette un bref coup d'œil sur la table où, pêle-mêle, s'étalent cahiers, cerises, papiers chiffonnés, règle et crayons. Le capitaine a compris.

— Je vois qu'une tempête s'est levée par ici! Les maths vous ont fait déployer beaucoup d'énergie.

Picolette saute d'un bond au milieu du fourbi sur la table. Ce qui n'arrange rien. Le cahier virevolte et retombe sous le nez du capitaine. Sandrine se remet à rire.

— Papi, il faut organiser une fête à partir d'objets à trois dimensions. On a commencé par trouver l'harmonica! Regarde, il ressemble au prisme du cahier.

— Je t'aime, ma petite sirène, dit le grand-père. Mon harmonica, c'est pour moi une sorte de prisme de cristal. J'étais aveugle. J'avais les yeux complètement bouchés. Au travers des notes de musique, j'ai revu ma Sandrine et le soleil du printemps. Pardon, pardon, mon enfant, pour ma colère passée.

— Joue encore, papi ! Ne pleure plus. Je t'aime tellement !

Sandrine embrasse son grand-père qui déploie de nouveau sa voile blanche pour sécher ses larmes. Puis, comme un magicien, il recommence à tirer des sons envoûtants de l'harmonica. J'entends les baleines chanter et j'ai l'impression de nager avec les dauphins !

Tout d'un coup, le capitaine change de rythme. Il attaque une sarabande endiablée. La musique nous fait sauter et danser autour du musicien. Sandrine avec Anna, moi avec Picolette, Archimède en solo ! Tous les animaux marins du monde semblent nous accompagner. Nous en oublions nos émotions.

Après de longues minutes, la musique s'éteint. Nous cessons de nous trémousser, à bout de souffle et ravis de l'aventure.

Le grand-père a rangé son harmonica. Un large sourire éclaire son visage aux traits fatigués.

— Maintenant, je rentre au port de ma chambre. À quatre-vingts ans sonnés, on ne peut naviguer sans arrêt.

— Papi, je te raccompagne ! lance Sandrine qui s'accroche au fauteuil roulant.

— Archimède m'a dit un secret, lance le capitaine en me faisant un clin d'œil.

— C'est quoi ?

— Tu seras la championne à la fête des Maths !

5

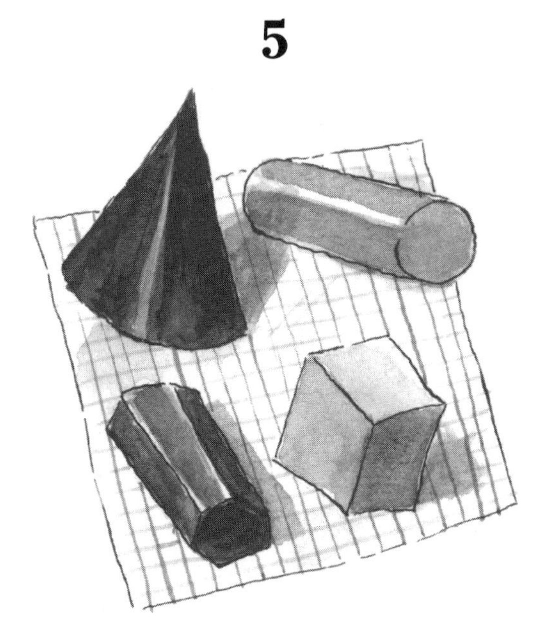

LE BAISER DE LA SIRÈNE

La fête des Maths ? J'étais en train d'oublier le devoir de Sandrine.

C'est tellement facile, d'ailleurs. Le capitaine a raison : pas besoin d'Archimède ni de personne. En attendant Sandrine, je dessine des bulles rouges près de la sphère.

— Qu'est-ce que tu écris dans mon cahier, Jéri ?

— Te revoilà déjà ?

— Papi s'est endormi et j'ai quitté sa chambre sur la pointe des pieds. Tu as commencé un dessin de géométrie ?

— Juste un petit peu. C'est une bulle rouge. Euh… pour mettre la couleur de l'amour dans la fête.

— On pourrait ajouter de vrais ballons aussi. Et puis, je vais dessiner l'harmonica à côté du prisme rectangulaire. Pour le cube, c'est presque trop facile.

— Des cadeaux ! disons-nous ensemble.

Les yeux brillants, Sandrine déborde maintenant d'idées. Elle associe le cône à des chapeaux pointus de fête, le cylindre à des rouleaux de bonbons multicolores.

— Comme ça, on fêtera en grand ! déclare mon amie. Si on a trop de surprises, peut-être que la maîtresse invitera aussi votre classe.

Malgré moi, je relance Sandrine avec une autre invitation :

— En attendant, si on allait à la pêche ?

— *Mas tarde*, plus tard, réplique Anna qui entre à son tour dans la cuisine. C'est l'heure de manger.

Un tablier jaune noué autour de la taille, elle extrait une casserole du frigo et la dépose sur la cuisinière. Du coup, je me souviens de la promesse faite à ma grand-mère.

— Je dois rentrer, Sandrine. Mamie m'attend. Je lui avais même dit que je rapporterais du poisson.

— Attends, Jéri, j'ai une idée.

Pendant que je range mes fournitures dans le coffre à pêche,

Sandrine s'affaire avec ses crayons de couleur.

— J'ai presque fini. Tiens, voici un dessin pour ta grand-mère. C'est mieux que rien!

Archimède, le poisson doré du capitaine, emplit toute la feuille de papier quadrillée. On dirait qu'il danse encore. Ses écailles brillent. Quel beau dessin!

— Mamie sera contente, j'en suis certain.

— Attends encore une minute. Je veux dire merci à Picolette.

Brave Picolette! Je la prends dans mes bras et l'approche de Sandrine.

Surprise! On a droit chacun à un bisou sonore.

— Vous avez tous les deux sauvé papi et les maths!

Picolette ronronne à plein moteur, et moi, je navigue sur la mer du paradis.

Le baiser de la sirène! Je repars ébloui, le précieux dessin d'Archimède rangé dans le coffre à pêche.

— À bientôt, sirène au tricot vert!

— Au revoir, Jéri!

Dehors, la chatte grimpe sur mon épaule, inquiète de croiser Raoul, le matou.

Pas un chat ne rôde. La voie est libre. Je file à la maison, le cœur en émoi. Que dire à mamie de ma pêche ?

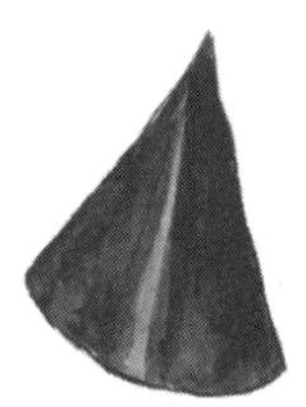

LES MATHS, CÔTÉ CŒUR

— Mamie ! Je ramène un drôle de poisson doré.

— Pour faire cuire ?

— Non, c'est juste un dessin. Le vrai poisson appartient au capitaine, le grand-père de Sandrine. Regarde !

J'ouvre le coffre à pêche et déroule le dessin de Sandrine pour mamie.

— C'est mon amie qui l'a dessiné pour toi.

— Tu lui diras merci. Son dessin est très réussi. Va l'épingler sur le babillard.

— Pas tout de suite, mamie. C'est un poisson spécial. Il s'appelle Archimède. Comme le savant des maths qui a couru dans les rues, nu comme une anguille.

Mamie me fait un clin d'œil.

— Je le connais, ton mathématicien.

— Tu l'as déjà rencontré ?

— À toi de trouver la réponse. Archimède était un génie qui a vécu en Grèce, il y a plus de 2000 ans !

Mamie rit de bon cœur. Confus de ma maladresse, je baragouine :

— Pardon, tu es trop jeune, je veux dire : trop jeune pour l'avoir rencontré.

— De rien. Je le connais quand même, le savant Archimède. Sais-tu où il a fait sa découverte la plus célèbre ?

— Dans sa chambre ?

— Non, dans sa baignoire ! dit mamie en souriant. Il a vu que l'eau montait à mesure que son corps s'enfonçait.

— L'eau monte aussi quand Croquemitaine saute dans mon bain !

— Voilà. Le corps du chien déplace de l'eau. Il en déplace autant que l'espace qu'il occupe. C'est ça, la découverte d'Archimède. Elle sert à mesurer la place que prennent les corps. Leur volume.

— En déplaçant de l'eau ?

— Exact. Je mesure le gras de mes croûtes à tarte en le plongeant dans l'eau d'une tasse à mesurer.

— Avec Croquemitaine, l'eau déborde de la baignoire. Il prend trop de place. Notre chien est trop gros.

— Pas vrai ! dit mon petit frère, alerté au nom de Croquemitaine. Notre chien est parfait.

— Les enfants, dit mamie, la place qu'on tient dans le cœur est la plus importante. Pour loger là, on n'est jamais trop gros. Croquemitaine inclus. Vous avez tous les deux raison !

Finaude de mamie ! Je connais un capitaine qui occupe une grande place dans le cœur d'une petite sirène. Le dessin de Sandrine entre les doigts, je déclare à mamie :

— C'est comme les maths à l'envers.

— Non, les maths, côté cœur ! Pas besoin de calculer. Il suffit d'aimer. Quand on a compris, on peut aussi s'écrier « Eurêka ! » D'accord ?

— Eurêka ! crions-nous à tue-tête, Guillaume et moi.

— Maintenant, dit mamie, je vous offre une assiettée de petits poissons dorés. En l'honneur d'Archimède.

— Quelle sorte de poissons ? demande Guillaume.

— Des éperlans grillés, dit mamie.

Nos poissons préférés. Mamie à la crème ! Je me sens un appétit de marsouin. Guillaume caracole dans la cuisine pendant que j'épingle le dessin de Sandrine sur le babillard.

Sous le dessin du poisson doré, j'ajoute deux petites bulles rouges,

code secret pour les bisous offerts par Sandrine : une bulle pour Picolette et une pour moi. À mon oreille, j'entends la musique de *Partons, la mer est belle*. Archimède danse sur sa feuille de papier et le vent du large souffle dans la cuisine.

Quelle journée pédago ! On a vogué des maths aux cerises, des cerises à la cachette à musique, de l'harmonica au capitaine, du capitaine à la sirène, de la sirène au dessin, du dessin aux bisous, des bisous aux maths, côté cœur ! Et la journée n'est pas terminée…

TABLE DES MATIÈRES

Louise-Michelle Sauriol

Orthophoniste de formation, Louise-Michelle Sauriol adore prendre le large dans ses histoires. Elle en lit et en écrit de toutes les couleurs et pour toutes les saisons. Sa chatte installée à la proue du navire, elle entraîne ses jeunes lecteurs dans ses aventures et ses découvertes. Au gré de sa fantaisie, elle peut les emporter sur des mers lointaines ou encore leur faire voir leur cahier de mathématiques sous un autre angle. Elle vit à Pointe-Claire, pas très loin du grand fleuve où son imagination vagabonde au gré des vagues.

Collection Sésame

1. **L'idée de Saugrenue**
   Carmen Marois
2. **La chasse aux bigorneaux**
   Philippe Tisseyre
3. **Mes parents sont des monstres**
   Susanne Julien
   (palmarès de la Livromagie 1998/1999)
4. **Le cœur en compote**
   Gaétan Chagnon
5. **Les trois petits sagouins**
   Angèle Delaunois
6. **Le Pays des noms à coucher dehors**
   Francine Allard
7. **Grand-père est un ogre**
   Susanne Julien
8. **Voulez-vous m'épouser, mademoiselle Lemay?**
   Yanik Comeau
9. **Dans les filets de Cupidon**
   Marie-Andrée Boucher Mativat
10. **Le grand sauvetage**
    Claire Daignault
11. **La bulle baladeuse**
    Henriette Major
12. **Kaskabulles de Noël**
    Louise-Michelle Sauriol
13. **Opération Papillon**
    Jean-Pierre Guillet
14. **Le sourire de La Joconde**
    Marie-Andrée Boucher Mativat
15. **Une Charlotte en papillote**
    Hélène Grégoire (prix Cécile Gagnon 1999)
16. **Junior Poucet**
    Angèle Delaunois
17. **Où sont mes parents?**
    Alain M. Bergeron
18. **Pince-Nez, le crabe en conserve**
    François Barcelo
19. **Adieu, mamie!**
    Raymonde Lamothe
20. **Grand-mère est une sorcière**
    Susanne Julien
21. **Un cadeau empoisonné**
    Marie-Andrée Boucher Mativat
22. **Le monstre du lac Champlain**
    Jean-Pierre Guillet

23. **Tibère et Trouscaillon**
Laurent Chabin

24. **Une araignée au plafond**
Louise-Michelle Sauriol

25. **Coco**
Alain M. Bergeron

26. **Rocket Junior**
Pierre Roy

27. **Qui a volé les œufs?**
Paul-Claude Delisle

28. **Vélofile et petites sirènes**
Nilma Saint-Gelais

29. **Le mystère des nuits blanches**
Andrée-Anne Gratton

30. **Le magicien ensorcelé**
Christine Bonenfant

31. **Terreur, le Cheval Merveilleux**
Martine Quentric-Séguy

32. **Chanel et Pacifique**
Dominique Giroux

33. **Mon oncle Dictionnaire**
Jean Béland

34. **Le fantôme du lac Vert**
Martine Valade

35. **Niouk, le petit loup**
Angèle Delaunois

36. **Les visiteurs des ténèbres**
Jean-Pierre Guillet

37. **Simon et Violette**
Andrée-Anne Gratton

38. **Sonate pour un violon**
Diane Groulx

39. **L'affaire Dafi**
Carole Muloin

40. **La soupe aux vers de terre**
Josée Corriveau

41. **Mes cousins sont des lutins**
Susanne Julien

42. **Espèce de Coco**
Alain M. Bergeron

43. **La fille du roi Janvier**
Cécile Gagnon

44. **Petits bonheurs**
Alain Raimbault

45. **Le voyage en Afrique de Chafouin**
Carl Dubé

46. **D'où viennent les livres?**
Raymonde Painchaud

47. **Mon père est un vampire**
Susanne Julien

48. **Le chat de Windigo**
Marie-Andrée Boucher Mativat

49. **Jérémie et le vent du large**
Louise-Michelle Sauriol

50. **Le chat qui mangeait des ombres**
Christine Bonenfant

51. **Le secret de Simon**
Andrée-Anne Gratton

52. **Super Coco**
Alain M. Bergeron